Mapa de las vacaciones en la costa de Ratón

Ratón
llega al mar

ALICE MELVIN

Texto de William Snow

Dedico este libro al mar, los arenales y los cielos de Saltburn, Wardie Bay y Burntisland. Agradezco que mi vida haya transcurrido junto a vosotros

Traducido por Alejandro Tobar

Título original: *Mouse by the Sea. A Holiday in Nature*
Publicado por primera vez en el Reino Unido
por Thames & Hudson Ltd. en 2025

ISBN: 978-84-140-6181-7
Depósito legal: Z 1657-2024

Impreso en China

Al llegar a la playa me detengo
a contemplar la belleza del mar.
Me esperan unas buenas vacaciones
que pienso plenamente disfrutar.

El primer día estoy acompañado
de gente que se baña, lee o juega,

Me voy a pasear al malecón.
Allí todo es bullicio y alegría,
y un espectáculo de marionetas
alegra a los pequeños su visita.

TEATRO DE MARIONETAS
PRÓXIMA FUNCIÓN A LAS
ALGODÓN DE AZÚCAR

El segundo día nos trae tormenta.
Mientras otros se resguardan en casa,
contemplo cómo la lluvia y el viento
encabritan el mar antes en calma.

Pero pronto vuelve a lucir el sol,
y descubro una duna muy tranquila.
Allí me tumbo un rato a descansar,
respetando sus plantas protegidas.

abierto
GALERÍA

La playa está plagada de guijarros,
cristales pulidos, palos y conchas.
Un mundo fascinante de texturas,
y visiones, y sonidos, y aromas.

PRÁCTICO
DEL PUERTO

El tercer día decido sentarme
al borde del muelle de roca y piedra,
atento al tintineo de los barcos
que al compás de las olas cabecean.

Día de excursión: salgo a navegar.
Veo alejarse la playa a mi espalda.

La espuma del mar nos moja la cara
y, a nuestra proa, los alcatraces cazan.

El cuarto día lo paso en las rocas:
sumerjo mi salabre entre las pozas,
donde se deslizan pequeños peces
y relucen las conchas como joyas.

Encuentro más tarde un sitio apartado
en el que disfrutar de mi merienda.
Alrededor de mí, un grupo de focas
ajenas a todo se desperezan.

No quiero marcharme de este lugar
sin visitar el faro y su vivienda.
Levanto la cabeza y miro arriba,
donde luce su imponente linterna.

Estoy sentado en los acantilados.
Este ya es mi quinto y último día.
Rodeado de inquietos frailecillos,
observo el camino que lleva arriba.

Es entonces cuando hago una pausa
y contemplo el profundo y ancho mar.
Cargado con los más bellos recuerdos,
emprendo feliz la vuelta a mi hogar.

Junto al mar

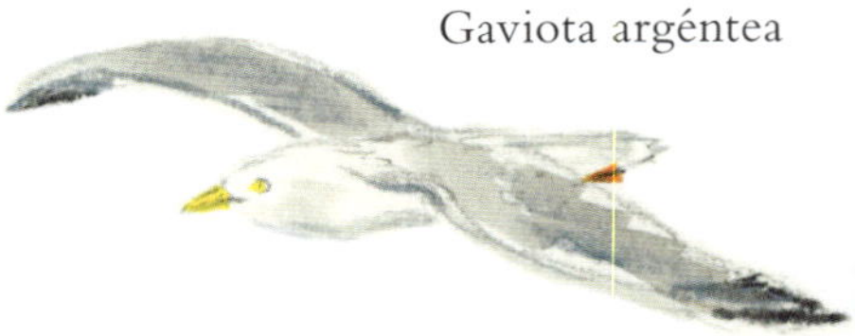

Gaviota argéntea

En este libro, Ratón pasa sus vacaciones junto al mar. A continuación encontrarás algunos de los animales, plantas y paisajes que puedes ver a lo largo de su viaje. La próxima vez que visites la costa, a ver si los localizas.

Foca

El mar

Los mares y océanos ocupan una superficie del planeta mucho mayor que la tierra. El nivel del mar crece y decrece dos veces al día a causa de las mareas. El agua cubre la mayor parte de la playa cuando está la marea alta, mientras que con la bajamar la arena recupera su territorio. El viento, al soplar sobre la superficie marina, genera olas. Nuestros mares son cambiantes y asombrosos, y también entrañan peligros. Hay que tener siempre mucho respeto al mar y actuar con precaución cuando se está cerca del agua.

La costa

El terreno pegado al mar se conoce como litoral o costa. A lo largo de esta se encuentran montones de lugares de interés, entre ellos playas de arena, dunas herbosas, acantilados agrestes y riberas rocosas. Cada uno de ellos alberga diferentes tipos de vida salvaje, y pasear atento a la orilla del mar recompensa con interesantes descubrimientos.

Chorlitejo grande

Ostrero euroasiático

Carrizo

Mariposa ícaro

Polilla diurna

Dunas de arena

Las dunas son colinas móviles de arena que va formando el viento y que quedan fuera del alcance de la marea. Las raíces del carrizo ayudan a fijar la arena al suelo y provocan que crezca otro tipo de vegetación, como tréboles, loto corniculado o cardo de mar. Estas dunas son el hogar de muchos animales, por ejemplo de tritones, sapos, lagartijas y víboras, o de insectos como abejas y mariposas. Bisbitas y calandrias construyen sus nidos entre la hierba, mientras los cernícalos sobrevuelan la zona en busca de alimento.

La línea de marea alta

Cuando la marea se retira, deja tras de sí un rastro de elementos que muestra dónde ha llegado el mar. Esto se conoce como línea o marca de marea alta. Un buen momento para explorarla es después de una tormenta, ya que los mares picados sacan a la luz multitud de hallazgos interesantes, como algas, ramas y palos a la deriva y valvas. Seguro que también te topas con desechos humanos, como prendas de ropa y plásticos, dañinos para la vida salvaje. Llevar a cabo la limpieza de una playa es una estupenda manera de ayudar a las criaturas marinas.

Loto corniculado

Lagartija

Cardo de mar

Calandria

Víbora

Trébol

Frailecillo

Aves

El potente graznido de la gaviota es un sonido típico de la costa. Hay muchos tipos de gaviotas, como la gaviota argéntea, la gaviota patiamarilla, el gavión atlántico, la gaviota enana o la gaviota reidora. En la arena podrás toparte con el chorlitejo grande correteando en busca de comida. Al ostrero euroasiático lo identificarás gracias a su pico naranja y a sus patitas rosadas. Y sobre el mar, con un poco de suerte podrás ver a los alcatraces zambullirse en busca de pescado ¡a velocidades de hasta 100 km/h!

Alcatraz

Acantilados

Los acantilados costeros son un escenario impresionante. Sus despeñaderos escarpados son ideales para que las aves marinas construyan sus nidos a salvo de depredadores. En los salientes de roca anidan alcatraces, cormoranes o chovas, entre otros. En verano, flores como la clavelina de mar, la colleja de mar, la zanahoria silvestre y la campanilla de las dunas tiñen de un color especial los acantilados.

Arao

Gaviota reidora

Pozas de marea

Cuando baja la marea en una costa rocosa, una parte del agua se queda rezagada en las cavidades y grietas de las rocas. A esos charcos salados se les llama pozas de marea. En su interior es posible encontrar decápodos como los camarones o pececillos como el gobio. También cangrejos y vistosas anémonas de mar. Recuerda que debes tratar con respeto la fauna marina y devolverla a su hábitat después de haberle echado un vistazo.

Mamíferos

A lo largo de la costa, quizá te encuentres con conejos y nutrias que viven cerca de la orilla, mientras que otros mamíferos necesitan el mar. Las focas se internan en tierra firme y se arrastran por ella para descansar y dar a luz. En tierra, parecen lentas y torpes, pero dentro del agua son unas nadadoras de primera. A los delfines se les suele ver en grupos. ¡Es una delicia contemplar sus saltos fuera del agua y cómo nadan en paralelo a las embarcaciones!

Delfín

Medusa melena de león

Moluscos

Un molusco es una criatura de cuerpo invertebrado y blando por lo general provisto de concha. Recuerda que cada resto de concha que te encuentres en la playa un día dio cobijo a un ser vivo. Entre los moluscos se incluyen mejillones, berberechos y caracolas. Las lapas son una clase de molusco que se pega con fuerza a las rocas. Cuando sube la marea, aprovechan para desplazarse por la superficie de la roca y se alimentan de algas. Una vez que han terminado su paseo, siempre regresan al sitio exacto de donde partieron.

Fauna marina

Bajo la superficie del mar existe una inmensa variedad de criaturas maravillosas, como las medusas. Se desplazan a merced de las mareas y en ocasiones acaban varadas en la playa. Ten cuidado, su picadura a veces es muy dolorosa. También puedes ver estrellas de mar o cangrejos en el lecho de las pozas marinas. En cuanto a los millones de peces que pueblan el mar, es más fácil ver cómo las aves se lanzan en picado al mar para pescarlos que avistarlos desde la costa.

Caballa

Tesoros costeros

El mar alberga infinidad de tesoros. Aquí se muestran algunos de los que ha visto Ratón. Y muchos otros te esperan en tu próxima visita al mar.

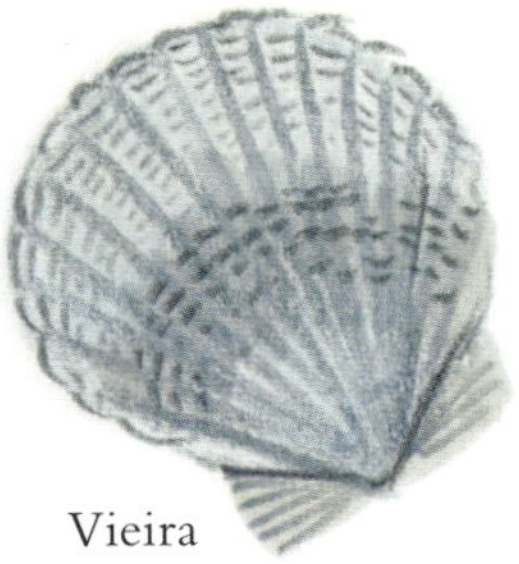

Vieira

Vaina de huevo de pintarroja

Vaina de huevo de raya pinta

Monederos de sirena

Un monedero de sirena es la cápsula vacía del huevo de un tiburón, raya o manta tras haber eclosionado.

Vidrio y cerámica marinos

El vidrio y la cerámica que encontramos en la costa son tesoros muy preciados. ¿Ves cómo los ha alisado el golpeteo de las olas?

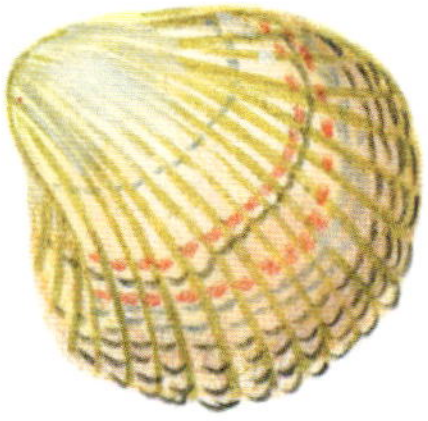

Berberecho

Mejillón

Plumas

Las plumas de las aves marinas son estupendas para utilizarlas como banderas de los castillos de arena.

Conchas

Las conchas vacías pueden tener toda clase de formas y tamaños. Pueden servirte, por ejemplo, para decorar un castillo de arena. ¿Te animas a hacer una colección de distintas conchas?

Lapa

Bígaro común

Erizo de mar

Si encuentras una concha vacía de erizo de mar entera ¡estás de suerte! No es fácil dar con una completa.

Algas

Hay montones de algas diferentes. Por ejemplo, la encima de mar tiene pompitas de aire que le permiten flotar en el agua, mientras que la resistente y correosa alga parda se ancla al lecho marino.

Bígaro chato

Pluma de ostrero

Pluma de zarapito

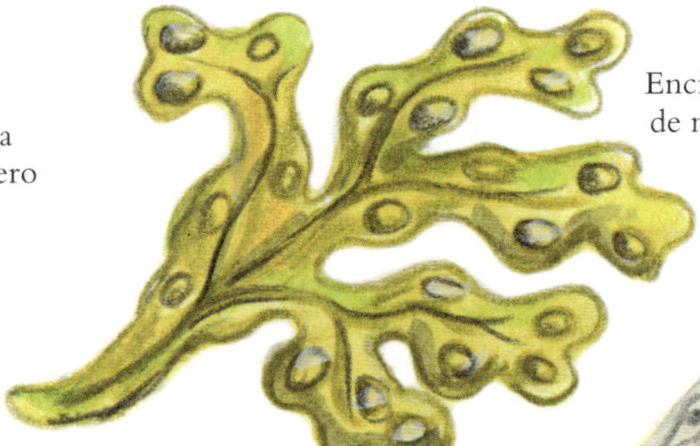

Encima de mar

Madera de deriva

Cuando encuentres un trozo de madera a la deriva verás que el mar lo ha decolorado, pero no solo eso, su tacto resulta delicioso. Además, te puede servir para escribir y dibujar en la arena.

Antes de irte, recuerda devolver a la naturaleza todo lo que le pertenece.